2004

DU MÊME AUTEUR

Aux Éditions Gallimard

LA SAGESSE ET L'AMOUR («Folio essais», n° 86).

LA DÉFAITE DE LA PENSÉE («Folio essais», n° 117).

LA MÉMOIRE VAINE. Du crime contre l'humanité («Folio essais», n° 197).

LE MÉCONTEMPORAIN, Péguy, lecteur du monde moderne («Folio», n° 3191).

COMMENT PEUT-ON ÊTRE CROATE?

L'INGRATITUDE. Conversation sur notre temps avec Antoine Robitaille («Folio», n° 3442). *Postface d'Antoine Robitaille.*

UNE VOIX VIENT DE L'AUTRE RIVE («Folio», n° 3638).

L'IMPARFAIT DU PRÉSENT, Pièces brèves.

Chez d'autres éditeurs

LE NOUVEAU DÉSORDRE AMOUREUX, en collaboration avec Pascal Bruckner, *Seuil.*

RALENTIR : MOT-VALISES!, *Seuil.*

AU COIN DE LA RUE, L'AVENTURE, en collaboration avec Pascal Bruckner, *Seuil.*

LE JUIF IMAGINAIRE, *Seuil.*

LE PETIT FICTIONNAIRE ILLUSTRÉ, *Seuil.*

L'AVENIR D'UNE NÉGATION. Réflexion sur la question de génocide, *Seuil.*

LA RÉPROBATION D'ISRAËL, *Denoël.*

L'HUMANITÉ PERDUE. Essai sur le XXᵉ siècle, *Seuil.*

INTERNET, L'INQUIÉTANTE EXTASE, avec Paul Soriano, *Mille et Une Nuits.*

AU NOM DE L'AUTRE

ALAIN FINKIELKRAUT

AU NOM
DE L'AUTRE

Réflexions
sur l'antisémitisme qui vient

nrf

GALLIMARD

À Nevenka et Norman G.

1. Vigilances

Pendant cinquante ans, les Juifs d'Occident ont été protégés par le bouclier du nazisme. Hitler, en effet, avait, comme l'a écrit Bernanos, déshonoré l'antisémitisme.

On croyait ce déshonneur définitif. Il n'était peut-être que provisoire. Ce qu'on prenait pour un acquis apparaît rétrospectivement comme un répit. Et c'est en France, le pays d'Europe qui compte le plus grand nombre de Juifs, que la parenthèse se ferme de la façon la plus brutale. Des synagogues sont incendiées, des rabbins sont molestés, des cimetières sont profanés, des institutions communautaires mais aussi des universités doivent faire nettoyer, le jour, leurs murs barbouillés, la nuit, d'inscriptions ordurières. Il faut du courage pour porter une kippa dans ces lieux féroces qu'on appelle cités sensibles et dans le métro parisien ; le sionisme est criminalisé par toujours plus d'intellectuels, l'enseignement de la Shoah se révèle impossible à l'instant même où il devient obligatoire, la découverte de l'Antiquité livre les Hébreux au chahut des enfants, l'injure « sale juif » a fait sa réapparition (en verlan) dans presque toutes les cours d'école. Les Juifs ont le cœur lourd et, pour la première fois depuis la guerre, ils ont peur.

Peur où se mêlent étrangement les deux sentiments contradictoires de la sidération et de la répétition. On est affolé, mais pas dépaysé car tous ces incidents ont des précédents, toutes ces attaques éveillent un écho et ravivent d'anciennes blessures ; il n'y a rien dans la haine des Juifs qui ne rappelle quelque chose. Gagnés par l'accablement, ses destinataires ont donc tendance à se dire : « Quand c'est fini, ça recommence... Le passé n'était pas dépassé ; tapi dans les replis de la *doxa*, il faisait le mort en attendant des jours meilleurs. Nous y sommes. Les tabous sont renversés, la censure est levée, le verrou saute : après cinquante ans, *l'enfer sort du purgatoire*, le mal s'é-broue et s'étale à l'air libre.» *Vieux démons, nouveaux débats* : c'est le titre tout naturel du grand colloque international sur l'antisémitisme en Occident qu'a organisé à New York, du 11 au 14 mai 2003, l'Institut YIVO de recherche juive. Le texte de présentation de la rencontre enfonce le clou en ces termes : «Pour nombre d'observateurs, le refoulé a brusquement fait retour. L'Europe politique, sociale, culturelle semble une fois encore défigurée par son préjugé le plus ancien et le plus ignoble.»

Les observateurs ont assurément raison : l'antisémitisme n'est pas une idée neuve en Europe. Ils font fausse route cependant, et on s'égare avec eux quand on rabat ce qui arrive sur ce qui est arrivé, comme l'expérience historique pourtant engage à le faire. Voir le déjà-vu dans l'événement, c'est, sous l'apparence de la sagesse, rêver les yeux ouverts. Invoquer l'inconscient et le déchaînement périodique de ses pulsions immuables, c'est se faciliter la tâche. Parler de *retour*, c'est enfermer les nouveaux démons dans de vieux schémas. *Jeunes démons, vieux schémas* : si nous voulons affronter la réalité, nous devons scier les barreaux de notre prison rétrospective. Les Juifs, ces familiers du pire, ont «une âme insurprenable», a dit, citant Rebecca West, Leon Wieseltier, le responsable des pages littéraires du magazine *The New Republic*. C'est là, justement, que le bât blesse : la compréhension du monde qui vient demande une âme *surprenable*. Il ne suffit pas d'être sans illusions pour accéder au vrai. Le pessimisme n'a pas droit à la paresse : même les mauvaises nouvelles peuvent être nouvelles ; même les démons peuvent être dans la fleur de l'âge et *piaffer d'innocence*.

Quelles sont les fondations de l'Europe d'aujourd'hui ? Repose-t-elle sur la culture, c'est-à-dire sur une admiration partagée pour quelques immortels : Dante, Shakespeare, Goethe, Pascal, Cervantès, Giotto, Rembrandt, Picasso, Kant, Kierkegaard, Mozart, Bartók, Chopin, Ravel, Fellini, Bergman ? S'inscrit-elle dans la continuité d'une histoire glorieuse ? Veut-elle faire honneur à des ancêtres communs ? Non, elle brise avec une histoire sanglante et n'érige en devoir que la mémoire du mal radical. Sous le choc de Hitler, notre Europe ne s'est pas contentée de répudier l'antisémitisme, elle s'est comme délestée d'elle-même en passant d'un humanisme *admiratif* à un humanisme *révulsif*, tout entier contenu dans les trois mots de ce serment : «Plus jamais ça!» Plus jamais la politique de puissance. Plus jamais l'empire. Plus jamais le bellicisme. Plus jamais le nationalisme. Plus jamais Auschwitz.

Avec le temps, le souvenir d'Auschwitz n'a subi aucune érosion; il s'est, au contraire, *incrusté*. L'événement qui porte ce nom, écrit justement François Furet, «a pris toujours plus de relief comme accompagnement négatif de la conscience démocratique et incarnation du Mal où conduit cette négation». Pourquoi précisément l'Holocauste? Pourquoi Auschwitz et non d'autres carnages doctrinaux, d'autres œuvres de haine? Parce que l'homme démocratique, l'homme des Droits de l'homme, c'est l'homme quel qu'il soit, n'importe qui, le premier venu, l'homme abstraction faite de ses origines, de son ancrage social, national ou racial, indépendamment de ses mérites, de ses états de service, de son talent. En proclamant le droit de la race des Seigneurs à purger la terre de peuples jugés nuisibles, le credo criminel des nazis, et lui seul, a explicitement pris pour cible l'humanité universelle. Comme l'a écrit Habermas : «Il s'est passé, dans les camps de la mort, quelque chose que jusqu'alors personne n'aurait simplement pu croire possible. On a touché là-bas à une sphère profonde de la solidarité entre tout ce qui porte face humaine.» C'est d'ailleurs pour cette raison et pas seulement du fait de son engagement dans la guerre contre le nazisme que l'Amérique indemne s'est crue autorisée, comme l'Europe ravagée, à bâtir au cœur de sa capitale un musée de l'Holocauste et à faire de ce musée un point de repère national. L'assaut méthodique et sans précédent contre l'autre homme dont l'Europe a été le théâtre renvoie à l'Amérique, plus qu'à toute autre collectivité politique, l'image inversée d'elle-même. La démocratie du Nouveau Continent a ceci de spécifique, en effet, qu'elle n'est pas seulement constitutionnelle : elle est *consubstantielle* à la nation. Il n'y a pas de distinction possible, dans cette patrie sans Ancien Régime, entre le régime politique et la patrie : la forme *est* le contenu du sentiment national ; l'identité s'incarne dans la statue de la Liberté. Certes, et c'est le moins qu'on puisse dire, l'Amérique n'a pas toujours été à la hauteur de sa définition : un musée de l'Esclavage aurait indubitablement sa place à Washington. Ce serait cependant chercher une mauvaise querelle aux États-Unis que de les soupçonner de vouloir fuir, dans la confortable évocation d'un génocide lointain, la prise en compte de leurs propres turpitudes. Une stupeur sincère et une horreur sacrée ont inspiré l'édification de ce mémorial. Comme le rappelait fortement le conseil chargé de sa préparation : «Événement à signification universelle, l'Holocauste a une importance spéciale pour les Américains. Par leurs actes et par leurs paroles, les nazis ont nié les valeurs fondatrices de la nation américaine.»

L'Amérique démocratique et l'Europe démocratique ressourcent leurs principes communs dans la commémoration de la Shoah. Mais il y a une différence : l'Amérique est victorieuse; l'Europe cumule les trois rôles de vainqueur, de victime et de coupable. La solution finale a eu lieu sur son sol, cette décision est un produit de sa civilisation, cette entreprise a trouvé des complices, des supplétifs, des exécutants, des sympathisants et même des apologistes bien au-delà des frontières de l'Allemagne. L'Europe démocratique a eu raison du nazisme, mais le nazisme est européen. La mémoire rappelle sa vocation à l'Amérique, et à l'Europe sa fragilité. Elle ratifie le credo du Nouveau Monde et prive l'ancien de toute assise positive. Elle est pour celui-ci un abîme, pour celui-là une confirmation. Elle nourrit simultanément le patriotisme américain et l'aversion européenne à l'égard de l'eurocentrisme. Ce qui unit l'Europe d'aujourd'hui, c'est le désaveu de la guerre, de l'hégémonisme, de l'antisémitisme et, de proche en proche, de toutes les catastrophes qu'elle a fomentées, de toutes les formes d'intolérance ou d'inégalité qu'elle a mises en œuvre. Tandis que la sentinelle américaine du «Plus jamais ça» se préoccupe des menaces extérieures, l'Europe postcriminelle est, pour le dire avec les mots de Camus, un «juge-pénitent» qui tire toute sa fierté de sa repentance et qui ne cesse de *s'avoir à l'œil*. «Plus jamais moi!» promet l'Europe, et elle se tue à la tâche. L'Amérique démocratique combat ses adversaires; l'Europe ferraille avec ses fantômes, si bien que l'invitation à la vigilance se traduit là-bas par la défense (parfois peu regardante sur les moyens) du monde libre et ici par l'insubmersible banderole : «Le fascisme ne passera pas.»

2. Un rêve de cauchemar

Matin brun : tel est le titre du livre qui a eu le plus de succès l'année dernière en France. L'auteur – Franck Pavloff – est inconnu, l'ouvrage n'a fait l'objet d'aucune recension, mais le bouche-à-oreille a fait passer le message et il s'est déjà vendu à plusieurs centaines de milliers d'exemplaires. Cette fable édifiante et limpide raconte en douze pages l'histoire de deux types, deux copains – ni héros ni salauds – qui, pour avoir la paix, font ce qu'exige d'eux l'État. Or, l'État demande à la population de piquer tous les animaux domestiques non bruns. L'un sacrifie donc son chien, l'autre son chat. Ils sont un peu surpris, mais ils obtempèrent. Comme ils acceptent sans broncher que soient retirés des bibliothèques les livres où les mots «chien» et «chat» ne sont pas accompagnés de l'adjectif «brun». Mais un nouveau délit est créé : avoir eu un chien ou un chat non brun. Ils sont arrêtés. Fin de l'histoire.

Lorsque le 21 avril 2002, à la stupéfaction générale, Le Pen, le candidat du Front national, a battu Jospin, le candidat socialiste, et s'est retrouvé qualifié pour le second tour des élections présidentielles françaises, les lecteurs de *Matin brun* ont frémi. «Nous y voilà, ont-ils pensé, l'apocalypse est en route. Si nous ne réagissons pas séance tenante, demain matin sera brun.» La réalité coïncidant parfaitement avec le script de la vigilance, ils sont descendus dans la rue, révoltés mais radieux et fiers d'être ponctuels au rendez-vous que leur avait fixé la Bête, contrairement aux générations antérieures insouciantes, apaisantes, accommodantes et, pour finir, consentantes. Le 1er Mai, des centaines de milliers d'enfants, d'adolescents, d'adultes de toutes origines et de toutes appartenances ont ainsi défilé à Paris comme en province, dans un étrange climat *de plénitude antifasciste* : «On avait envie de chanter : "Le Pen, on t'aime", a déclaré, avec candeur, l'un des manifestants. Il nous a réveillés. On dormait, on s'ennuyait. Maintenant, tout le monde a le sourire.»

Jamais, en effet, 1er Mai n'avait été aussi motivé, aussi mélangé, aussi jubilatoire, aussi lycéen, aussi effervescent. Jamais l'allégresse et le sérieux n'avaient, avec tant de ferveur, battu le pavé des villes. Face au miracle d'un cataclysme conforme à son concept et d'une histoire assez obligeante pour repasser les plats, l'euphorie fusionnait avec l'épouvante. L'heure était à la fois dramatique et extatique. La résistance et la turbulence marchaient du même pas. L'unanimité régnait, l'humanité rayonnait. Le corps social dessinait un arc-en-ciel. Une gravité festive illuminait tous les visages : leur sourire innombrable était celui de la vie soudain allégée, par la lutte, de la banalité des jours, et celui de la supériorité morale sur les hommes du passé. « Nous répondons présents, disait ce sourire. Nous n'allons pas nous laisser faire. Maurras et Pétain n'ont qu'à bien se tenir : nous sommes le sursaut multicolore de la République en danger. » Cette mobilisation a payé. Ce sursaut a été couronné de succès. Cinq jours plus tard, les urnes terrassaient la Bête, la France hybride dérouillait l'hydre franchouillarde et le sourire de la protestation est devenu sourire de satisfaction.

Ayant évidemment voté avec la majorité républicaine, je partage son contentement. Comme la foule des réfractaires au Matin brun, je suis soulagé et je savoure le triomphe des gens sympas sur les gens obtus, sans toutefois entrer dans la danse car ce sont les danseurs qui font aujourd'hui la vie dure aux Juifs. Pas tous les danseurs, bien sûr, mais il faudrait avoir une âme *obnubilée* par les tragédies advenues pour ne pas le reconnaître : l'avenir de la haine est dans leur camp et non dans celui des fidèles de Vichy. Dans le camp du sourire et non dans celui de la grimace. Parmi les hommes humains et non parmi les hommes barbares. Dans le camp de la *société* métissée et non dans celui de la *nation* ethnique. Dans le camp du respect et non dans celui du rejet. Dans le camp expiatoire des «Plus jamais moi!» et non dans celui – éhonté – des «Français d'abord!». Dans les rangs des inconditionnels de l'Autre et non chez les petits-bourgeois bornés qui n'aiment que le Même.

3. La complainte de l'amour déçu

Ce dont les Juifs ont à répondre désormais, ce n'est pas de la corruption de l'identité française, c'est du martyre qu'ils infligent, ou laissent infliger en leur nom, à l'altérité palestinienne. On ne dénonce plus leur vocation cosmopolite, on l'exalte, au contraire, et, avec une véhémence navrée, on leur reproche de la trahir. On fait valoir nostalgiquement que la judéité n'est plus ce qu'elle était, à l'admirable exception de quelques justes, de quelques dissidents, de quelques prophètes obstinés qui ne se laissent pas intimider et qui, prenant tous les risques, osent penser comme on pense. Loin de mettre en cause l'inquiétante étrangeté des Juifs, on leur en veut de nous rejoindre au moment où nous nous quittons, on se désole de leur assimilation *à contretemps* et du chassé-croisé qui les fait tomber dans l'idolâtrie et la sanctification du Lieu quand le monde éclairé se convertit en masse au transfrontiérisme et à l'errance ; on n'accuse pas ces nomades invétérés de conspirer au déracinement de l'Europe, on déplore que ces tard-venus de l'autochtonie aient régressé au stade où étaient les Européens *avant* que le remords ne ronge leur ego et ne les contraigne à placer les principes universels au-dessus des souverainetés territoriales.

À l'Église catholique qui a demandé pardon pour ses péchés par omission, indifférence ou violence, la journaliste italienne Barbara Spinelli opposait ainsi, dans un article retentissant paru en novembre 2001, le *judaïsme sans mea culpa* : «S'il y a quelque chose dont on ressent l'absence, dans le judaïsme, c'est justement ceci : un *mea culpa* envers les populations et les individus qui ont dû payer le prix du sang ou de l'exil pour permettre à Israël d'exister.» Conséquence, selon Barbara Spinelli : nul scrupule ne vient inhiber les pulsions agressives et barbares du judaïsme contemporain. Nulle mauvaise conscience n'entame sa suffisance. Rien n'arrête l'auto-affirmation de sa volonté. Tous les peuples européens, tous les

États, toutes les institutions, tous les corps de métier regardent le passé en face et pondèrent sans faiblesse la consignation de leurs exploits par la publication de leurs torts. Tous proscrivent l'enseignement du mépris et pratiquent avec détermination une pédagogie du repentir. Tous confessent les crimes qu'ils ont commis ou qu'ils ont laissé faire. Tous reconnaissent leur part d'ombre. Tous acceptent humblement le fardeau civilisateur de la culpabilité. Tous adoptent par rapport à ce qu'ils sont une distance réflexive. Tous mettent un point d'honneur à se déprendre d'eux-mêmes et à retenir par toutes sortes d'empêchements l'élan de leur force vitale. Tous se défient du nazi qui sommeille en eux. Tous ont la gueule de bois. Tous, sauf les Juifs. Sur eux, le devoir de mémoire et de réparation ne trouve pas la moindre prise. Forts d'*être* le Surmoi du Vieux Continent, ils en oublient d'*avoir* un surmoi. Gavés d'excuses, ils ne se sentent aucune obligation. Grisés par leur puissance souveraine, imbus de leur être stato-national à l'heure de la grande déconstruction pénitentielle de l'État-nation, ils forment le seul peuple qui vive, affirme Spinelli, dans une condition de liberté absolue. Ce qui revient à dire qu'ils ressemblent comme deux gouttes d'eau aux antisémites d'autrefois et qu'ils en prennent imperturbablement la relève.

De même que Barrès voyait en Dreyfus le représentant d'une autre espèce, de même, assurent maintenant les champions de contrition, Israël transgresse, avec une flagrante effronterie, la religion de l'humanité à laquelle l'Europe a été convertie par la prise de conscience de son antisémitisme : «Quiconque attente à une vie d'homme, à la liberté d'un homme, à l'honneur d'un homme, nous inspire un sentiment d'horreur en tout point analogue à celui qu'éprouve le croyant qui voit profaner son idole», écrivait Durkheim pour justifier son engagement dreyfusard. Et le politologue Emmanuel Todd constate – ou croit constater – aujourd'hui : «L'incapacité de plus en plus grande des Israéliens à percevoir les Arabes comme des êtres humains en général est une évidence pour les gens qui suivent les informations écrites ou télévisées.»

Or, comme l'a lumineusement montré le philosophe américain Michael Walzer dans un article publié par la revue *Dissent* et qu'aucun périodique français n'a jugé bon de traduire, il n'y a pas une, mais *quatre* guerres entre Israéliens et Palestiniens : la guerre d'usure palestinienne pour l'extinction de l'État juif (et dont relèvent aussi bien les attentats-suicides que la revendication du droit au retour), la guerre palestinienne pour la création d'un État indépendant à côté d'Israël, la guerre israélienne pour la sécurité et la défense d'Israël, la guerre israélienne pour le renforcement des implantations et l'annexion de la plus grande partie possible des territoires conquis en 1967. Il faut que «les gens qui suivent les informations écrites ou télévisées» soient *aveugles* à cette quadruple réalité (et aux deux batailles internes qui la prolongent) pour que s'étale, sous leurs yeux scandalisés, l'*évidence* insoutenable et monotone des persécuteurs en action. Grâce à la médiatisation permanente du conflit, ils sont aux premières loges : ils ne ratent aucun épisode, ils voient tout ce qui se passe, et pourtant, à l'instar d'Emmanuel Todd, ils ne voient rien de ce qui est. Ils *balayent*, comme on enlève la poussière, les événements du regard. Mauvaise volonté ? Frivolité zappeuse ? Non : hantise du mal radical, ferveur égalitaire, culte de la tolérance. C'est de la part la plus honorable d'eux-mêmes que procède leur insistante *illusion d'optique*.

On craignait que le dernier mot ne revînt à l'oubli ; nous voici confrontés à une fièvre hypermnésique qui dépeuple la terre et ne laisse subsister, dans un monde simplifié à l'extrême, que les deux archétypes du nazi et de la victime. On craignait la perpétuation ou la réapparition de la haine raciale, et il est né de cette crainte une exubérance antiraciste qui recode tout drame – actuel ou ancien – dans les termes de l'alternative entre tolérance et stigmatisation. On était à ce point désireux de se montrer irréprochable et d'éviter la répétition de l'histoire qu'on a vu l'histoire se répéter *à tout bout de champ*. On jurait : « Plus jamais ça ! » avec une telle ardeur, avec une telle force de conviction qu'on en est venu à croire sans cesse que *ça* y était, et à faire passer le foisonnement des conduites humaines sous la juridiction d'une seule intrigue, sous les fourches caudines d'une seule et monumentale opposition : solidarité ou ségrégation, ouverture ou ethnocentrisme. Pour le dire d'un mot : on s'inquiétait tant et si bien pour l'Autre, que la figure de l'Autre a fini par effacer celle de l'*ennemi*. Les Palestiniens ne sont plus les ennemis des Israéliens, mais leur Autre. Être en guerre avec son ennemi est une possibilité humaine. Faire la guerre à l'Autre est un crime contre l'humanité. Dans le premier cas, le rapport est *politique* et peut éventuellement déboucher sur un compromis, malgré les tentations maximalistes qui le travaillent. Dans le second, c'est de racisme qu'il s'agit et tout ce qui est raciste doit disparaître. L'ennemi, si âpre que soit le litige, se situe dans le champ de la reconnaissance, alors que le raciste, par ses propos et par ses actes, s'en exclut. Avec les revendications de l'ennemi, avec ses doléances et même avec le sens qu'il prête à son aventure historique, un terrain d'entente est envisageable. Les revendications du raciste sont choquantes, ses doléances sont ignobles et le scandale de son existence appelle le châtiment. Conclusion : là où la morale a fait place nette de l'ennemi, celui-ci resurgit sous la forme démoniaque de l'ennemi de l'Autre, c'est-à-dire de l'ennemi du genre humain. Dès lors, rien n'est plus négociable : l'inexpiable dicte sa loi.

Instruits par la mémoire du crime et du délaissement, on attendait les méchants de pied ferme : c'est l'antiracisme qui lâche ses coups, ce sont les meilleures intentions qui révèlent leur malfaisance. C'est même l'injonction à se souvenir qui pave vertueusement l'enfer de l'idéologie.

4. La misère du monde

Comme tous les intellectuels juifs, comme tous les Juifs visibles, je reçois, ces temps-ci, des lettres désagréables. Après la manifestation du 7 avril 2002 contre l'antisémitisme et le terrorisme, une de mes correspondantes, excédée, m'a écrit ceci : «J'ai dû voir la police fouiller les personnes qui voulaient traverser le cortège des drapeaux israéliens que les jeunes excités en calotte bleu et blanc arboraient sûrs de leur saint droit. Sur la place un petit "beur" d'à peine dix ans criait à ses copains visiblement apeurés qui le retenaient : "Si seulement j'avais une kalachnikov, je leur montrerais, moi !" Et je savais bien que je me sentais plus proche cette fois de la vérité de ce petit miséreux que de tous les jeunes qui triomphaient d'autosuffisance et de passion méprisante et ignare sous leur calotte blanc et bleu.»

Le «petit miséreux» en question n'a pas encore saisi de kalachnikov. Selon toute vraisemblance, il ne le fera pas et en restera au stade de la provocation verbale. Cette perspective, toutefois, n'est pas vraiment rassurante car la langue qu'il entend autour de lui et qu'il commence à articuler est la langue de l'islamisme et non celle du progressisme. La lutte des classes ne lui dit rien, le *djihad* l'enchante. Ses héros sont des figures religieuses, non des icônes révolutionnaires : Saladin plutôt que Spartacus ou Che Guevara. Il vit dans un autre universel et ce qui le fait enrager, d'ores et déjà, ce n'est pas le joug du capitalisme et de l'impérialisme sur les prolétaires de tous les pays, c'est l'humiliation des musulmans du monde entier. Conditionné à souffrir d'Israël comme d'une écharde ou d'une morsure dans la chair de l'Islam, il n'est même plus antisioniste : là-bas, ici, partout, les Juifs, à ses yeux et dans ses mots, sont des Juifs et rien d'autre.

Mais l'enfant rebelle a beau se détourner du progressisme, les progressistes, qui *ne l'entendent pas de cette oreille,* continuent, avec une sollicitude inaltérable, avec un amour à toute épreuve, à célébrer sa rébellion. Il est l'Autre, en effet, pour Madeleine Gaudin, ma correspondante. Et le ventre encore fécond d'où a surgi la Bête immonde ne peut, en aucun cas, accoucher de l'Autre. Il y a entre l'Autre et le monstre une incompatibilité ontologique. Le monstre veut la peau de l'Autre, l'Autre est le gibier du monstre. Le monstre est allergique, l'Autre est angélique, l'Autre est innocent, et s'il ne l'est pas, s'il tient des propos infâmes, s'il se comporte en *ennemi déclaré,* ce n'est jamais que de la légitime défense ; s'il commet des actes répréhensibles, c'est en réaction à l'esprit de réaction, en réponse aux mesures d'apartheid et aux pratiques sécuritaires dont il est victime ; s'il s'énerve, c'est parce que l'exploitation se combine avec l'exclusion pour faire de lui un déshérité, un vagabond, un paria perpétuel ; s'il a, comme on dit, la haine et s'il rêve de tirer dans le tas, c'est parce que ses droits sont bafoués en France et ses frères assassinés en Palestine ; s'il devient soudain fanatique ou voyou, c'est l'effet de l'existence avilissante à laquelle les Gaudin ou les « sionistes » le condamnent. Les premiers ont conscience de leur indignité : ces juges-pénitents se frappent la poitrine ; ces représentants du Même font amende honorable ; ces Français de souche soignent l'arrogance généalogique par la visite et l'inventaire de tous les *placards* de l'histoire nationale. Ces natifs d'un seul pays aspirent du fond du cœur à une rédemption bigarrée. Ces baptisés bouffent du curé et militent pour le voile islamique à l'école. Ces héritiers mal dans leurs pères se détribalisent, s'européanisent, se mondialisent, se planétarisent et ne passent rien au passé cocardier, colonial, calotin et collabo dont ils sont dépositaires, à l'inverse des « sionistes » qui défendent la pureté ethnico-religieuse d'Israël en y mettant le paquet, c'est-à-dire Sharon, c'est-à-dire Hitler – et qui manifestent ainsi leur totale imperméabilité aux maximes de la morale universelle.

L'ombre omniprésente de Hitler déshonore l'antisémitisme des ayants droit, et expose le nom d'Israël aux remontrances indignées des *ayants honte*. S'il est bien vrai, autrement dit, que l'Extermination a frappé d'un discrédit sans appel la vision obsidionale d'Édouard Drumont, comme l'a reconnu l'auteur de *La Grande Peur des bienpensants*, ce n'est pas au bénéfice de Bernard

Lazare : les actuels disciples du dreyfusard qui fut aussi l'un des premiers tenants du retour à Sion tendent à être enveloppés du même halo d'ignominie nationaliste et réactionnaire que les épigones du publiciste qui inventa le slogan : « La France aux Français ».

Cette mise au pilori conjointe de la majorité des Juifs de France et des vieux démons de l'idéologie française est déconcertante. Mais il est possible que la pensée qui l'habite ne soit pas, en fin de compte, si juvénile, si neuve, si originale que cela. Peut-être renoue-t-elle, en deçà de la courte période où l'Occident s'est exprimé dans l'idiome du racisme, avec le discours qui accusait le peuple élu de se croire supérieur aux autres nations et de refuser la bonne nouvelle de la commune identité de tous les êtres humains. Peut-être est-ce l'antique condamnation du Juif selon la chair, de son particularisme, de son exclusivisme, de son égoïsme national, de sa fraternité fermée, qui, sous l'impact toujours plus pénétrant du traumatisme nazi, connaît une nouvelle jeunesse et trouve des accents irrésistiblement modernes. Peut-être y a-t-il une résonance de l'*Épître aux*

Romains dans l'affirmation que le peuple d'Israël, infatué de lui-même, s'exempte de la condition ordinaire, s'excepte des nations, dénie l'égale dignité des personnes, et n'obéit qu'à sa propre loi. Peut-être cette vindicte soudaine de la religion de l'humanité et cette paradoxale *incitation à la haine antiraciste* prolongent-elles, sans le savoir (car, à force de désaffiliations, elles ne savent plus rien), une lointaine querelle théologique. Peut-être – effrayante hypothèse – les juges-pénitents sont-ils incapables de condamner la croyance scientiste dans la lutte des races et la survie du plus apte autrement qu'en actualisant ou qu'en recyclant saint Paul, c'est-à-dire le grief fait à la postérité d'Abraham de se crisper sur ses prérogatives dynastiques et de s'en tenir aux liens du sang quand on lui propose l'union des cœurs.

Peut-être. Reste, en tout cas, qu'il ne faut pas confondre les ressentiments, ni prendre pour une résurgence de l'antisémitisme français l'actuelle flambée de violence contre les Juifs en France. Après avoir été passée sous silence précisément parce qu'elle n'était pas imputable aux «petits Blancs» de la France profonde, cette violence d'origine arabo-musulmane a trouvé sinon une approbation littérale, du moins une réception positive, une interprétation bienveillante, une traduction présentable chez les Gaudin antichauvins qui scandent aujourd'hui : «Nous sommes tous des immigrés!» ou : «Étrangers, ne nous laissez pas seuls avec les Français!», comme ils entonnaient hier : «Nous sommes tous des Juifs allemands!», et qui ont tiré de l'histoire cette leçon impeccablement généreuse : quoi qu'il arrive, prendre toujours le parti de l'Autre.

1. Vigilances 9
2. Un rêve de cauchemar 17
3. La complainte de l'amour déçu 21
4. La misère du monde 29

*Ouvrage composé
par Dominique Guillaumin, Paris.
Achevé d'imprimer
par l'Imprimerie Floch
à Mayenne le 8 octobre 2003.
Dépôt légal : octobre 2003.
1er dépôt légal : août 2003.
Numéro d'imprimeur : 58333.*

ISBN 2-07-073495-1 / Imprimé en France.